KB103241

다정하지 못했던 모든 때에

다정하지 못했던 모든 때에

전윤철

차례

1장

물살을 헤치는 마음으로

2장

나를 부르며 너는 무슨 생각을 했나

3장

다시 태어나도 나이고 싶어질 때까지

1장

물살을 헤치는 마음으로

무용함의 유용함

무용과 유용함 그 사이 어딘가에서 헤매고 있습니다 사랑한다는 말의 쓰임새를 고민합니다

당신의 눈빛은 쓸모가 없었지
쓸모없는 것만큼 해로운 게 없고 재밌는 게 없었으므로
자주 받아먹고 싶었다

그래서, 사랑한다는 말의 용도가 뭐냐고 물어보면 쓸모에 관하여 생각하게 한다고, 사랑이 과연 유용할까 생각하다가, 당신 눈에서 제멋대로 의미를 읽어내고는 고개를 돌리게 하는 용도라고 말합니다

당신이 가장 애정을 쏟았던 무쓸모한 것에는 어떤 게 있나요 저는 둘이서 이야기할 때 오가던 시선에 자주 마음을 주었어요 순간순간 헤매는 것처럼 보이지만 결국엔 오로지 한곳만을 보고 있잖아요, 방향성에도 애틋함이 묻어 나올 수 있더군요

그런 이유로 저는 글을 쓸 때도 제 시선을 종종 담아요 당신 눈을 마주치며 이런저런 얘기를 한다 생각하고 읽어주세요

사랑하며 조금 어리석게 살 필요가 있는 것도 같습니다 조금은 쓸모없게 되더라도

무용함이 유용해지고
싫다는 말이 좋아지고
없다는 말이 있게 되니까요

잘 웃고 계신가요

추울 때면 눈물이 났다. 돌아가지 못할 시절을 생각한다. 그때 나는 어땠더라. 내게는.. 내겐 네가 전부였었나. 돌이켜보면 별것도 아니었는데. 사소한 것들에 그렇게 몰두해댔다. 곧 첫눈이 내린대. 같이 볼까. 같이 보자. 봐주라. 같은 묘한 어감의 차이라든가.. 평소의 너와 아플 때의 네가 쓴 각자의 글씨체라든가. 대신 앓아주고 싶은 마음이 들게 하는 눈빛이라든가. 사실 나는 아직도 손톱만큼 작은 것들에 쉽게 무너진다. 어느 날 문득 보면 자라서 기어코 틈을 만들고.. 결국 나는 주저앉는다. 소리 죽여 울다 보면 덩달아 입을 다문 새벽이 찾아온다. 가만히 옆에 앉아 있다가 지쳐 잠들면 떠난다. 그러므로 나의 최근은 춥고 고요하다.

괜히 안부를 전하는 말을 건넨다. 마음을 주었던 모든 것들의 안녕을 빈다. 부디 이번 추위도 잘 견뎌냈으면 한다. 대신 흘리는 눈물이다. 사소한 것들에 흔들리지 말라는 당부의 말이다.

우습게도 추울 때면 눈물이 났다. 항상 눈물이 날 때쯤 추운 건가.

'진짜' 봄

오늘은 햇빛이 진짜 좋더라. 봄인 줄 알았어. 올 한 해가 가긴 할까 생각했었는데. 벌써 마지막 달이야. 반창 너머로 보이는 뒷산 풍경은 앙상한 나뭇가지와 미처 다 썩지 못한 낙엽들이 전분데 이상하게도 난 그게 그렇게 좋더라. 바람이 불면 푸스스, 푸스스.. 나무들이 흔들려. 고목과 나목의 차이점을 알아? 고목은 말라서 죽어 버린 나무, 나목은 잎이 지고 가지만 앙상히 남은 나무래. 둘 다 비슷하게 생겼는데.. 나는 실제로 봐도 구분을 못할 것 같아. 요즘은 사람들도 고목인지 나목인지 모를 얼굴을 하고 있더라고. 겨울이라서 그런 걸까? 언제부턴가 우리들은 계절 상관없이 돌연 추워질 수도 있는 곳에서 살고 있어. 그러니 껴입고 살아야지.

거리를 걸을 때면 꼭 바람이 맞은편에서 불어오더라. 머리는 엉망이 되고 인상을 찡그리게 돼. 그런 모양새여도 내가 실제로는 화가 난 게 아닌 것처럼, 고목의 얼굴을 하고 있는 사람들도 사실은 나목인 거겠지? 봄이 오면, 그러니까 '진짜' 봄이 오면 다시 온갖 종류의 초록을 얼굴에 머금고 다니겠지? 그래도 조금은 생기 있는 얼굴이었으면 좋겠어. 우리에게는 사랑하는 것들이 많고.. 그런 것들을 마주할 때의 얼굴이었으면 좋겠어.

그러나 세상에는 우리를 괴롭게 하는 것도 많지. 나는 소란하다는 말을 볼 때면 괜히 슬퍼져. 마음이 소란하구나. 나는 이 말을 듣고 운 적도 있어. 너를 소란하게 하는 건 뭐야? 똑같이 되기 싫어서 너는 입을 꾹 다물고 있는 거지? 때로 하지 않은 말들은 목구멍 반대로 넘어가지. 여전히 소란스러운 채로. 나는 겨울 하늘 아래서 종종 모든 걸 토해낸 듯한 기분이 들어. 겨울잠에서 일찍 깨버린 뱀의 마음으로 살 때가 있었지. 터전을 잃어버린 멸종 위기종의 눈을 하고 살 때가 있었지. 겨우내 숨겨놨던 것들을 죄 들켜버린 기분을 너도 알까?

햇빛이 봄 같았다고는 해도 날씨가 추워. 아마 더 추워질 거야. 이제 겨울의 문턱을 넘었으니까. 따뜻한 말을 하는 재주는 없어서, 이렇게라도 마음을 전해. 사실은 울기 싫어서 이렇게 얘기하는 거야. 너는 나를 잘 알잖아. 이미 얄팍한 의중을 다 알고 있을지도 모르지. 잘 지내라는 말은 식상하고 잘 살자는 말은 재미없지만.. 그래도 마음을 전하기엔 수차례 검증된 방법이니까, 잘 지내. 잘 살고.

항해

발밑에는 자주 바다가 있다. 낚시를 하듯 단어를 건져 올린다. 목소리를 잃은 인어가 될 때도 있고 난파를 노리는 세이렌이 될 때도 있다. 분열하는 문장들로 표류기를 엮어내면 그건 내 이야기이자 네 이야기이다. 거센 폭풍우 안에서 힘없이 떠다니는 우리. 그러나 부서지지는 않아서 좋다. 때로 문장은 해일처럼 찾아오고 모든 시인은 그 사실을 알지.

깊은 말을 하고 싶고 푸른 글을 쓰고 싶다. 소금기 느껴지는 언어도 제법 나쁘지 않다고 생각하게 됐다. 어촌에 사는 지인은 바다를 보며 멍하니 있는 게 하루 일과라고 했다. 그 광막한 모습, 당장 뛰어들고 싶어지는 거대함.. 나는 그런 풍경을 상상할 때마다 줄곧 물에 빠지는 기분이 든다. 붙잡을 것도 없는 망망대해에서 허우적거리고 있을 때 손을 건네는 건 언제나 너였으면 했다. 네가 아니면 아무도 그러지 못할 거라고 생각했다. 순풍 같은 손길, 길잡이별 같은 구원.

바다를 보는 네 옆모습이 보고 싶어졌다. 너는 분명히 바닷바람을 닮았을 것이다.

오래전 누군가 좋아한다는 말 대신 달이 예쁘다고 한 것처럼 모든 표현에는 동치가 있다. 에둘러 말할 방법이 있다. 그러니 사랑의 품사를 물어본다면 너는 대명사라고 하지 않을까. 우리의 다른 말은 사랑. 사랑의 다른 말은 바다. 지난한 세월을 거쳐 결국 모든 걸 받아들일 수 있게 된 모습. 바람이 잔잔하고 그리 춥지 않은 날에 배를 타고 여행이나 가자고 말할까 싶다.

꿈일기

잠을 못 자는 것도 아닌데 입술이 텄어. 가끔 뒤척이는 시간이 길어질수록 꿈을 꾸고 싶어져. 어제는 무슨 꿈을 꿨는지 이야기해 줄게. 내 방이었는지 네 방이었는지는 모르겠어. 캄캄했거든. 동이 트기에는 아직 이른 시각이었나 봐. 그곳에서도 내 입술은 잔뜩 터서 각질이 일어나고 피가 나더라. 조금만 벌려도 아파서 말을 잘 안 했어. 그냥 들었어. 네가 막 뭐라고 했는데. 나는 대답을 못하니까 고개만 끄덕였지. 그러니까 너는 가만히 내 입술을 쓰다듬더니.. 슬픈 얼굴을 했던 것 같아. 잘 보이지도 않았는데 그런 기분이었어. 그 흐릿한 인영만으로도 네 표정을 알 것만 같았어.

너는 평소에 어떤 꿈을 꾸는지 궁금해. 꿈일기를 써보는 건 어때. 내 이름이 거기 적힐까? 별 기대는 안 하지만.. 적혔으면 좋겠다. 여러 번 등장했으면 좋겠어. 너만 괜찮다면 고정 출연자가 되는 것도 나쁘지 않을 것 같아. 오는 게 힘들면 네 꿈으로 내가 갈게. 초대만 해줘. 불러주는 걸로 네 몫은 끝이야. 마음을 주게 해 줘. 내 몫을 하게 해 줘.

굳이 꺼내지 않아도 되는 말들을 해 줘. 어떤 말일지 나는 이미 다 알고 있겠지만.. 직접 듣는 건 또 다르잖아. 충분한 건 없다고 믿어. 하물며 달도 차올랐다 기울기를 수만 번 반복하는데.. 우리라고 못하겠냐는 말이야. 부끄러우면 꿈에서 해줘. 그날부터 나도 꿈일기를 쓰게 될 거야. 나는 내가 꿈을 잘 안 꾸는 줄로만 알았어. 그냥 일어나서 되뇌지 않았기 때문에 기억하지 못했던 거야. 그러니까, 조금 우습게 들릴진 모르겠지만.. 기억하지 못할 수도 있으니까. 그러니까 자꾸 말을 해달라는 거야. 일기 쓰듯이 사랑하자는 말이야.

나는 말로는 표현을 잘 못하니 대신 글을 써줄게. 네 생각이 날 때마다 글을 쓸게.

잠이 안 오면 꿈 이야기를 해줄게. 잘 자야 해. 너도 꿈을 꿨으면 좋겠다. 이번엔 네 이야기를 듣고 싶어.

잘 자.

막무가내 사랑

나는 네가 너라서 사랑해. 논리정연한 네 애정에 나는 늘 할 말을 잃었다.

술을 마시다 보면 언제 취한 건지도 잘 모르지. 그런 거야. 너는 나를 좋아하기 시작한 그때가 기억나? 나는 아무리 떠올려 봐도 잘 모르겠어. 너에 대한 건 더더욱. 너는 평소에 무슨 생각을 할까. 너는 내 이름을 어떤 마음으로 부를까. 내가 보고 있지 않을 때의 너는 어떤 모습일까. 사소한 네 습관이 궁금해. 너를 구성하고 있는 것들이 나와 같을까. 너는, 너는 내가 만난 불가해 중에 가장 이해하고 싶은 것. 그러니 자주 대화를 하자. 마침 얘기가 나와서 말인데 우리 술 마시러 갈까.

…그래서 나는 너무 궁금해. 너는? 너는 내가 궁금하지 않아? 익숙한 이름의 하이볼과 처음 들어보는 맥주. 모두 누군가의 이름 같다고 생각했다. 맞은편에 앉은 네 얼굴에서 향긋한 보드카 냄새가 났다. 취기 오른 얼굴도 잘 어울린다고 생각했다.

우리, 한 잔만 더 할까. 딱 한 잔만 더 하는 거야. 기분 좋게 취했으니 끝까지 기분 좋고 싶어. 네가 어리광 피우듯 말할 때마다 나는 세상에서 가장 너그러운 사람이 된다. 너는 그걸 아는 듯 굴었고 내가 항상 져준다고 믿었다. 그러나 정말로 고개를 숙이고 있던 건 내가 아니었다. 들뜬 얼굴이었지만 괜히 혼곤해 보이는 발걸음에 네 옆에 서면 너는 무엇인가를 고마워했다. 나랑 놀아줘서 고마워, 싫었을 텐데 술 마셔줘서 고마워. 우리가 결국 닮아 있는 게 고마워. 정말로…

그러면 나는 내 말을 듣고 있지 않는 네게 사랑했었다고 말했다. 너와 똑같이 생긴 명제와 우리를 묶는 논리, 비틀거리는 걸음걸이와 감히 네 맥락 없음마저도.

나비에게

고양이 좋아해? 나는 이상하게 강아지보다는 고양이가 좋더라. 강아지가 싫은 건 아니고, 좋긴 한데. 고양이가 더 좋아.

다행히 털 알레르기는 없지만.. 만약 눈물 콧물 쏙 빼고 재채기까지 연달아 한다고 해도 고양이를 좋아했을 거야. 원래 무언가를 좋아한다는 게 그렇잖아. 날 울게 할 걸 알면서도 가까이하고, 숨쉬기 어려울 걸 알면서도 껴안고 그러는 거지. 마냥 즐겁고 행복하기만 한 건 아닐 거야.

길고양이의 무심함이 좋아. 나비야, 부르면 알면서도 꼬리만 느긋하게 흔들지. 부르다 지쳐 발을 떼려면 어느새 다가와 털을 묻혀 대. 길을 걷는 이와 길을 누리는 이의 애착. 드물게 자기를 데려가라고 같이 살 사람을 '간택'하는 고양이도 있잖아. 그런 일이 내게 일어난다면 정말 기쁘겠지만, 이내 찾아올 슬픔이 더 클 것 같아. 시작하지 못할 관계잖아. 내겐 그럴 환경도 능력도 없는걸.

섣부르게 다가갔다가 서로 슬퍼한 적이 많아. 사랑을 준다는 건 사실 엄청난 배짱이 필요한 일이거든. 사랑하며 사는 모든 사람들은 고양이의 대담함을 갖고 있는 사람들이야. 그런 이들은 슬픈 와중에도 무던하지. 사랑 이후의 것들을 알면서도, 주고 남는 게 무엇일지 알면서도. 그래서 내가 고양이를 좋아하나 봐.

시작하지도 못한 사랑보다는 차라리 실패한 사랑이 낫지? 고양이들은 마음을 연 상대에게 천천히 눈을 깜빡이며 인사한대. 나는 고양이한테 눈인사를 받아본 적이 한 번도 없어. 아직까지는. 시작도 못했기 때문이겠지. 사랑에 제멋대로 성패를 나눈다고 누군가는 나를 욕할지 몰라. 하지만 알잖아. 모든 사랑은 성공한 것처럼 보이는, 실패를 향한 여정이야. 비관적이라고 해도 좋아. 우리는 성공보다는 실패에서 많은 것을 얻으니까.. 난 그렇게 생각할래.

그러니 나비야, 하고 이름 붙여주는 마음으로 실패한 사랑에 대해 이야기하자. 앞발을 몇 번 핥듯이 상처를 핥아주자. 조급해하지 말고. 꼬리나 흔들면서.

세상의 모든 나비에게

우리가 나눠 먹은 모든 무심한 애정을 기억해.

실패한 사랑의 저편에 눈인사를 보내자.

한때 마음을 열었던 이에게

고양이의 너그러운 마음으로,

나는 잘 지내고 있노라고.

깜빡,

까암빡.

흔적기관

흐르는 것에 몸을 맡길 때처럼.

인생은 흐르고, 흐르고, 또 흘러서 어딘가에 닿는다. 긴 여정. 햇빛이 내리며 물결이 반짝일 때마다 우리는 기뻐하지. 밤낮도 없고 쉬는 시간도 없다. 너는 물이 좋다며 바다에 가 살자고 했다. 발을 담그고 옷자락을 조금 적시는 게 좋다고 했다. 내 글에 강과 바다, 물과 습기가 자주 등장하는 이유를 너는 알까. 세상에 나기 전부터 푹 잠겨있던 그 초심을 나는 잊지 않고 싶다. 피부에 가장 친숙한 건 공기가 아니라 물일지 몰라. 네 손가락 사이의 살을 만지면서 따뜻한 욕조에 잠겨 있고 싶다. 물갈퀴가 사라진 흔적이래. 같은 말을 하면서.

진심이라는 단어가 싫을 때가 있었다. 진심을 다하는 사람은 두 부류로 나뉜다. 끝을 기대하는 사람과 끝을 덮어두는 사람. 나는 마지막이 두려웠다. 마음을 쏟았던 것들이 사라지는 건 필연이니까. 점점 옅어지다가 흔적만 남겠지. 내 손가락 사이의 살처럼. 꼬리뼈처럼. 오래전 과거에나 번영했던 문명처럼.

물살을 헤치는 마음으로 네게 찾아갈 때가 있었다. 이제는 전혀 도움이 되지 않는 물갈퀴와 함께. 우리 사랑이 퇴화한다면 먼 미래에서나 그 흔적을 마주할 것이다. 강물을 거스르는 심정으로 글을 쓸 때가 있었다. 연어가 태어난 곳으로 돌아가듯이 네게서 태어난 글들이 다시 네게 닿았으면 했다.

살아감과 사랑함은 어쩌면 다를 바 없다고 생각했다. 그리고 그 둘은 물이 흐르는 것과도 닮아있다고 생각했다. 흐르는 것에 몸을 맡길 때처럼 살고, 사랑해야지. 연거푸 숨을 들이켜고 헤엄치자. 이름 모를 대양에 도착해 묵묵히 유영하자.

강물 같은 사랑을 하자. 네가 이 말을 이해하는 날 우리는 연인이 될 거야.

아주 잊기 힘든 사람

내가 당신을 잊는 일과 당신이 나를 잊는 일
둘 중에 어떤 게 더 빨리 찾아올까 물었던 적 있지요

한참이나 속상해하다가 문득 궁금해졌습니다 당신은 그저 소리 없이 웃기만 하고 같이 걷자며 손을 내밀곤 했습니다 저 손을 잡으면 어디로 갈까 어디까지 가게 될까 다른 누군가의 지문이 거쳐간 정거장일까 기차가 머리를 대고 잠드는 종점 비슷한 것이 될까 둘 다 아니면 당신 손은 대체 무엇을 쓰다듬기 위해 존재하는 걸까

당신 이름은 발음하기에 좋으므로 듣기에도 좋습니다 그러나 몇 번씩 부르다 보면 아주 조금 서글퍼집니다 감당 못할 정도의 것들을 마주할 땐 언제나 묘한 표정이 됩니다 보고 싶은 사람이나 오래전부터 읽고 싶었던 시집 같은 것들 그러니까 두고두고 살펴봐야 하는 것들 우리 나중에는 함께 시를 좀 읽을까요 좋아하는 문장을 골라서 오래오래 볼까요 활자에 눈을 맞추듯 오래오래 시선을 맞출까요 언어보다 더 언어 같은 마음에 대해서 이야기해요

지나간 것에 대한 향수 비슷한 마음과 오래된 슈퍼마켓을 닮은 마음과 골동품의 삐걱임을 사랑하는 마음 다정하게 낡고 싶어 하는 마음 모두 당신을 닮아있습니다

당신 체취의 일부가 되고 싶다는 말
마음을 주고 그런 말들을 자주 사 먹었습니다

그러면 당신은
제 습관 중 하나가 되고 싶다는 말을 거슬러주곤 했습니다

달콤한 불량식품의 맛
많이 먹으면 혀가 물들 것만 같은
그런 말들이 서로의 머리맡에 보기 좋게 진열되어 있었습니다

우리는 아주 잊기 힘든 사람이 될 거야
하는 말이 묶음 상품처럼 붙어있었습니다

앨버트로스

날 수 있다는 게 부러워. 나도 새로 태어났으면 좋았을걸. 그렇지?

하는 목소리에 나는 그저 고개만 두어 번 끄덕거릴 뿐이다. 그러나 사람이 나는 건 말도 안 된다고, 그러니 내려오라고.. 위태로운 걸 보고만 있는 사람의 심정을 아느냐고. 너는 논리정연하구나. X 는 제 날갯죽지를 만지는 게 버릇이었다. 제 날개뼈를 더듬으며 스스로 더듬으며 가끔 슬픈 눈을 했다. X 를 바라보고 있노라면 뺨과 등에 금방이라도 깃털이 돋을 것 같았다. 잠시라도 방심하면 포르르 날아가 버릴 것 같은 새를 닮았다고 생각했다.

새를 키우는 건 어떻냐고 물어본 적이 있다. 네 이름으로 불러도 돼? 하는 X 의 말에 나는 그저 고개만 두어 번 끄덕였다. X 의 목소리에는 묘한 신비감이 있어서 이상하게도 쉽게 수긍하게 됐다. 그리고 언젠가부터 나도 새를 키워보고 싶어졌다. 엑스라고 불러야지. 까만 동공과 눈이 마주칠 때마다 엑스야, 엑스야 불러줘야지. 왜 그런 이름을 붙였냐 누군가 물으면 그냥.. 멋있잖아, 하고 대답할 것이다. 사실 틀린 말은 아니지. 막연한 동경을 닮은 이름이니까.

X 는 노을을 배경으로 날아가는 새의 무리를 제일 좋아했다. 나는 그걸 배경으로 한 X 를 오래오래 바라봤다. 어쩌면 X 에게 인간보다는 새의 형상이 더 어울릴 것 같기도 했다. 네 머리칼은 흑연같이 새까만 깃털이 되고... 한 시절의 꿈처럼 깨어나면 너는, 우리는 전깃줄이나 나뭇가지 위에서 깜빡 졸았던 거였지 않을까. 우리가 말하는 청춘과 별반 다를 게 없어 보이는 삶. 날개를 펼치고 상승과 하강을 반복하다가 가끔 추락하는 삶. 열을 맞췄다가도 이내 이탈해 제멋대로 비행하는 삶. 대양을 가로지르다 비슷한 풍경에 질려 내려앉을 곳 없나 찾아보는 삶. 나쁘진 않아 보인다. X 를 생각하는 일은 대개 이런 식의 돌발적인 공감과 그리움으로 끝이 난다. 이제 나도 조금은 날고 싶어진다.

잠깐만. 아주 잠깐만이라도 날고 싶어. 그 왜 박제된 천재 있잖아. 그 사람처럼은 안 될까.

내가 쓴 문장들 사이를 유영하고 있다 보면 자주 X 가 날아다녔다. 바닷새 앨버트로스처럼. 앨버트로스, 앨버트로스...

봄과 당신과 가을과 겨울

여름의 발자국은 젖어 있는 일이 많아요. 흐린 하늘을 볼 때마다 당신은 잘 지내고 있을까 궁금해져요. 손차양 아래에서 은밀히 눈을 맞추고 싶어져요.

언젠가 폭력적인 햇빛을 피해 그늘로 숨었어요. 사계절 중 여름을 지우고 싶다고 말하곤 살결이 차가운 사람을 부러워했어요. 후텁지근한 말들을 모두 떠안은 당신은 점점 여름을 닮아가고..

지워진 여름의 자리에 당신 이름을 써넣고
당신은 폭력이라든지
제게 당신은 무자비라든지
그런 말들을 하고 싶어요

계절의 단면은 언제나 그리움을 낳아요. 무성한 녹음 사이로 낙하하는 빛줄기와 조금 눈이 부시다며 얼굴을 찡그리는 당신, 빛을 받아 반짝이는 보도블록. 맞잡고 싶었던 손. 녹아 없어지기 전까지는 놓지 않기로 약속해야 했던 손들. 그 모든 정경, 우리의 멸망은 여름에 찾아왔으면 했어요.

저는 여전히 당신 손길을 흐놀고 있고 이곳에는 수차례의 뇌우가 다녀갔어요.

나의 무자비한 여름, 날씨가 조금 쌀쌀해질 때 즈음 찾아갈 테니 부디 무탈해야 합니다.

애정실조

밤이 짧아지고 있어요. 누군가의 기도 덕분일까요. 해가 오래오래 비치고 요즘 배가 자주 고파요. 슬퍼하는 사람과 이야기할 때면 어느새 허기가 져요. 잘 차려진 한 상을 해먹이고 싶어져요. 해가 점점 늦게 지는 이유도 알 것만 같아요. 우리는 오래오래 이야기해야 해요. 햇빛을 받으며 울 듯 웃어야 해요. 사는 건 그런 일이잖아요. 기도하지 않아도 이뤄지리라 믿었던 일들이 사실 몇 있어요.

무언가를 먹는 일에는 언젠가 당신이 물었던 안부에 대답하는 것도 포함된다고 믿어요. 조용히 곱씹으며 다정함의 맛을 느껴요. 널려 있는 고무장갑에 묘한 행복을 느껴요. 흔한 마음에는 흔하지 않은 애정이 있어요. 실조에 걸리지 않게 조심해야 할 시기가 찾아왔어요. 저는 이제 당신의 안부를 묻습니다. 잘 먹으며 지내시나요?

2장

나를 부르며 너는 무슨 생각을 했나

나의 캄캄한 사랑

들숨과 날숨이 조용히 정렬되는 밤에는 홀로 깨어있는 게 좋았다 너와 둘만 남겨진 기분이 들 때마다 곁에 있는 건 흐릿한 인영이 아닌 선명한 사랑이었다 되뇌지도 못할 말들을 입에서 굴리다 보면 너는 몇 번 뒤척이다 팔을 내게 걸쳤다 꼭 나를 껴안는 것처럼 하다가 얄밉게 등을 돌리면 곡선이 네 호흡을 따라 조용히 오르내린다 너는 곡선으로 이루어져 있구나 그래서 자주 미끄러지고 다치는구나 그래서 너와는 부딪혀도 아프지 않구나

잠든 네 얼굴을 볼 때면 잠깐 껴안았다가 콧등을 쓸었다가 가만히 숨 쉬는 소리를 듣고 싶어진다 가끔은 그게 이 밤의 전부인 것처럼 굴기도 했다 잠든 너와 곧 잠들 나 아직 잠들지는 않은 나 새벽 기도를 가는 어린 양처럼 네 손을 붙잡고 싶었다

시선이 투과하지 못하는 때에는 언제나 언어가 앞섰고 언어보다는 손짓이 앞섰다 불안한 사람처럼 내 것이 아닌 다른 손을 찾을 때마다 너는 달래는 방법을 아는 사람 같았다

밤은 언제나 찾아와 다행이라 생각했으나 창문을 비집고 들어오는
희미한 빛과 조금 좁아진 침대와 어렴풋이 보이는 나의 캄캄한
사랑 이런 것들은 항상 나를 새벽 내내 깨어있게 했다

그러니 너는 어두울 동안에는 반드시 내 곁에 있어야만 한다
평온한 얼굴과 안락한 숨소리로 존재해야 한다

증정품

내 마음대로 되는 게 하나도 없는 것 같아. 나는 왜 항상 한 발짝 늦는 걸까. 나는 언제나 서성이는 역할인 것만 같아. 조금은 나서도 될 때가 있을 텐데. 분명 있을 텐데. 생각이 많아지는 밤이야. 가끔 일부가 전체인 것처럼 시야가 좁아질 때가 있지? 요즘 그런 날들을 보내고 있어. 잠깐의 우울이 내 몸 전체를 이루고 있는 것만 같아. 내 탓도 조금 있기야 하겠지만.. 그냥 전부 내 잘못인 것 같아. 잘못했다고 빌고 싶어져. 누구에게? 물어보면 내가 사랑했던 모든 것들에게. 침대에 얼굴을 파묻고서.

이런 생각을 할 때면 얼굴이 뜨거워져. 네게 이마를 만져달라고 말하고 싶어져. 나 열이 나는 거 같은데.. 내 손은 차가워서 잘 모르겠어. 눈가와 두 볼이 눈물의 온도가 되는 듯한 기분이야. 숨을 쉬는 것도 솔직히 버겁지. 설거지거리가 쌓여가듯 무기력한 사람에겐 해야 할 일이 쌓여가. 전화를 걸어볼까 하다가, 핸드폰 갤러리를 뒤적거리다가, 몇 해 전의 후회를 생각하다가.. 해야 할 것들에는 손을 대지도 못해. 이제는 일어나야지, 일어나야지. 네가 일으켜주면 좋겠다 생각하면서.

사실 요새 자주 취해. 그리고 취객에게도 새벽은 찾아오지. 가로등 몇 개 켜진 거리를 배회하다 보면 연골이 닳아버린 것처럼 삐걱대. 찾아올 손님 없는 편의점 안에서는 아르바이트생이 졸고 있어. 가판대에 놓인 묶음 상품을 가만히 쳐다봐. 조금 불안한 마음으로 살고 있어. 네가, 또 네가, 또 다른 네가, 나와 다른 생각이면 어쩌지. 달라도 너무 달라서 받아들이지 못할 차이면 어떡하지. 내가 네게 묶음 상품 같은 거였으면 어떡하지. 그러면 진짜 어떡하지. 그냥 지나치는 행인이었던 거면.. 정말로..

엉망진창

내 사랑의 방식은 불안.

두려울 때마다 무엇이든 적고 싶었다. 단어가 문장이 되고 문장이 줄글이 될 때쯤 적는 일은 습관처럼 자리 잡았다.

어떤 노래는 오늘의 나와 내일의 내가 다르다고 한다. 내일의 네가 사랑하는 사람은 내일의 나이므로 지금 당장 같이 있어달라고 한다. 또 어떤 노래는 하늘이 너무 파래서 울었다고 한다. 그때 하지 못한 얘기가 있었다는 사실만 전한다. 이런 노래를 들을 때마다 우리가 나눴던 대화를 떠올린다. 대화와, 대화였던 것과, 대화 흉내를 내는 것 모두.

무엇이 진심이고 무엇이 진심이 아닌지. 네 말에서 신뢰할 수 있는 것은 내 이름밖에 없다.

이제는 그것도 옛날이야기다.
아주 오래전까지 거슬러 올라가고 싶어진다.
손만 잡았다가 놨는데 모든 게 엉망인 기분이다.

나를 부르며 너는 무슨 생각을 했나.

나는 이제 네 말을 믿을 수가 없다.

환절기

날씨가 점점 건조해지고 입술이 바싹 마르고 가끔은 튼다 글을 쓸 마음이 사라진다 이토록 황량한 나날에서 너는 무엇을 보았길래 내 삶이 빛난다고 하는가 마음에 드는 노래 가사가 맴돌며 늘어진다 네 눈빛의 궤적을 읽어내는 일이 점점 어려워진다 내가 너를 해석할 수 없을 때가 오리란 걸 알면서도 두려워진다 네 시선과 마주하면 한 올 한 올 해체당하는 기분이 들었다가 익숙해질 때쯤 너는 바람처럼 고개를 돌린다

나는 날씨가 좋은데 일교차가 크다고 했고 너는 일교차는 큰데 날씨가 좋다고 했다 이맘때의 햇빛은 잔인할 정도로 모든 걸 비추고 있었고 그럼에도 추워하는 내가 있었다 계절과 계절 사이 그 아득함과 조금씩 두꺼워지는 옷들과 조금은 쓸쓸해 보이는 풍광 가을볕에 난자당한 나

추울 때마다 눈가가 더워지는 일이 잦아졌다 때로는 는개 같았고 언젠가는 소나기 같았다 길고 지루한 우기가 찾아왔구나 생각했다

내 얼굴의 남반구가 조금씩 겨울을 향했으므로 북반구는 여름에
접어들었다 장마처럼 울었으므로 가끔 말랐고 자주 젖어 있었다

유서를 닮은 고백

최근 얼마간 앓고 나서부터 호흡이 가빠질 때가 있어. 그냥 천천히 걷기만 하는데도. 폐를 다친 기분이야. 금이 간 빨대처럼 아무리 들이마셔도 중간에서 바람이 새는 것 같아. 하고 싶던 말도 끌어올려지다가 이내 추락해. 이러다 죽는 건 아닐까. 사인은 호흡곤란. 이 글은 유서와 연서 사이의 어딘가에 있게 되겠구나.

그런 말이 있잖아. 죽고 난 뒤에도 청각은 얼마간 살아 있다고. 내가 죽으면 넌 내 귓가에 뭐라고 속삭일까. 잘 자라고 해주면 좋겠다. 푹 자. 피곤했을 테니까. 깊게 자는 거야. 그런 말들. 하지만 너는 조용히 울겠지. 울기만 하겠지. 국화 같은 얼굴을 하고서.

내가 정말 유서를 쓰게 된다면 사랑한다는 말을 많이 써놓을 거야.

'I love you'라는 문장은 나로 시작해서 너로 끝나. 그 변모의 과정에 사랑이 있고, 사랑의 과정에는 둘뿐이라는 통찰. 평소의 너는 어떤 생각을 할까. 네게 이런 이야기를 해주면 어떤 표정을 지을까. 감당 못할 마음을 쥐고 유서 대신 사랑한다는 말과 엇비슷한 글을 써 내려간다는 걸 알까. 네가 아무것도 모른다는 눈으로 웃으면 나는 아무것도 모르고만 싶어져.

다정과 무정. 너는 그 사이를 넘나드는 재주를 가졌지. 사실 다정한 사람만큼 무정한 사람도 없는데. 끝내 너는 무정하기만 했던 걸까 싶어. 기어이 나를 울리는구나 싶어.

내겐 쉽게 매몰되는 재능이 있어. 사실 재능이랄 것도 없고 버릇에 더 가까워. 너를 만나면 빠져나오지 못할 때가 많았어. 누군가를 기다리는 일에도 도가 텄지. 아무짝에도 쓸모없다고 생각이 들어. 이런 생각을 하기까지 많은 네가 다녀갔어. 만료된 사랑에도 발길이 찾아올까. 내게 이제 남은 것은 그저 발길질하는 심술. 심술 난 마음. 삐죽삐죽한 그리움.

그래서 나는 네가 항상 부러웠고 미웠어. 사랑했으나 멀어지고 싶었어. 참 이상하지..

살리에리 증후군

1

네가 알고 싶어서 나는 나를 이해하기로 했다. 무얼 좋아하고 싫어하는지, 어떤 날씨에 글을 쓰고 싶어지는지, 언제 네 생각을 하는지, 무엇이 나를 살게 하는지. 그러다 보면 네 깊이는 얼마인지 문득 궁금해졌다. 사람은 끊임없이 무언가를 알고자 한다. 모르는 것은 곧 두려움이다. 네 눈을 볼 때마다 도망치고 싶었다.

2

슬픔이 나를 살게 한다. 너는 나를 슬프게 한다. 너는 나를 살게 한다. 그러므로 나를 죽게 만드는 것 또한 네가 아니다. 이 정도면 합당한 논증이지 않을까. 나를 죽게 만드는 것은..

3

사랑을 하고 있다는 친구의 말이 떠올랐다. 확신하는 모습이 부러웠다. 본인이 하고 있는 게 사랑임을 아는 이의 눈빛. 그렇기에 더욱 불안한 동공들.

4

네 얼굴은 호젓해 다가가기 힘든 구석이 있다고 메모장에 적어두었다.

5

칠월의 폭우는 퍽 잔인한 모습이었다 밤새 창문을 빗겨 때리곤 버티지 못해 수천 가닥으로 갈라져 쏟아지는 모양이 꼭 무너지듯 오열하고 마는 계절이었고 차마 눈 뜨고 볼 수 없는 풍경과 기억들 아뜩하니 스러져 가는 몸이 꼭 그랬다 여전히 나는 녹는점을 지나 어느새 타 버리기 직전이다 비가 올 때마다 펜을 들었고 종이 위에 잉크가 빗물처럼 번졌다 침대에 몸을 빨래처럼 널어놓았다 잘 마르지 않아 눅눅한 나날이 이어졌다 도무지 알 수 없는 것들만이 우리의 전부였다

6

나의 살리에리, 네 깊이로는 나를 이해할 수 없다.

멀리 걸은 일

겨울, 겨울이야. 내가 가장 좋아하는 계절이고 우리가 가장 사랑했던 계절. 춥다는 말 한마디면 그 모든 나약함이 다 용서가 되는 것만 같았어. 조금 칭얼댈 여지를 주는 거 같아서 좋았어.

얼마 전에는 새벽에 걷고 싶어서 꽤 멀리까지 갔는데, 아무도 없는 게 괜히 좋고 문득 슬펐어. 고요하게 잠들어 있어야 할 시간에 버젓이 돌아다니는 나와 내 옆의 누군가. 이렇게 깨어있는 것만으로 죄를 짓는 것 같아서.. 말이 없게 된 내가 조금 우스웠어.

요즘 어떻게 지내? 나는 그냥 열심히 지내. 가끔 머리가 좀 아프고. 가만히 있어도 무언가에 쫓겨 달리고 있는 것 같아. 이러다 쓰러지는 건 아닐까? 쓰러지면 나 보러 오면 좋겠다. 무모한 상상이지. 노을이 지는 방향으로 무작정 떠나고 싶기도 해. 지는 무언가를 쫓아가는 일. 원래 사는 게 그렇잖아. 난 사람들이 끝을 알고 있지만 가끔 애써 모른 척을 하는 거라 생각해. 애써 잊기 위해 예쁜 풍경을 보러 가고.. 뭐 그러는 거지.

그거 알아? 나는 아직 세상이 무서워. 칼끝처럼 위태로운 나날들이 이어지고 있어. 밤마다 새벽마다 아직 꺼지지 않은 불빛들을 볼 때면 항상 기분이 묘하더라. 대화를 멋지게 나누는 법도 여유 있게 웃어주는 법도 잘 모르겠어. 말하려 했던 것들은 다 잊어버리고 사족만 늘어나. 날이 진짜 춥다. 그렇지? 그러게. 그래도 난 추운 게 좋더라. 나도 그래. 근데 너 울어? 아니, 바람을 맞으면 원래 이렇게 눈물이 맺혀. 겨울이구나, 이젠 정말 겨울이다.. 이런 대화처럼 말이야.

어떤 풍경은 보고 있노라면 슬픈 기분이 들잖아. 겨울을 사는 내게는 눈에 담기는 대부분의 것이 그러해.

수십 번을 맞이하는 겨울이지만 이맘때쯤 나는 항상 글을 쓰고 싶어져. 글에 마침표를 찍고 죽는 일을 상상해. 내 유서는 시가 될 거야. 낭만적이지?

싫은 것

'싫다'가 붙는 말이 좋다.

보고 싶다. 같이 있고 싶다 같은 것들. 가만히 발음해 본다. 마지막 두 음절 잇새로 흐르는 바람과 굳게 닫혔다 떨어지는 입술은 비밀이라도 말하는 것 같다. 정이 많은 사람들에게는 비밀도 많다. 미워할 수 없으면 차라리 사랑하는 사람들. 그렇지 못한 천성 탓에 내겐 미워하는 것들이 많았다. 흑백의 논리로 생각하던 때가 있었고, '좋아하다'의 반대말이 '미워하다'인 줄 알던 때가 있었다. 너를 미워하고 싶다고 말하기도 했다.

보고 싶다는 말이 쌓이면 울음이 된다. 울음의 농도가 옅어지면 보고 싶다는 말이 된다. 볼 수 없는 사람들은 소리에 집중하게 된다. 소리의 정체를 궁금해하다가 끝내 찾아보게 된다. 우리는 진득한 언어와 희석된 슬픔이 같다는 것을 안다. 그러나 켜켜이 쌓인 그리움으로도 끝내 떠오르지 않을 것들이 있다. 이것을 깨닫는 데에도 오랜 시간이 걸렸다.

자욱함에 대해 쓴 적이 있다. 당신과 내가 공평하게 딱 한 치 앞만 볼 수 있는 곳에 대해 쓴 적이 있다. 그곳에서 우리는 파도 소리에 귀 기울이며 손을 잡았지. 해무 뒤편을 궁금해하던 당신이 생각난다. 같이 이야기해 볼 걸 그랬다. 그런 곳에서 걸어 다니면 내 속눈썹에는 물방울이 맺힐걸. 하는 목소리가 들리는 듯했다. 당신은 그 문장들을 기억할까. 잊는다는 것, 잊힌다는 것 모두 겸허하게 받아들이고 싶다. 잡을 손이 없으니 내 손이라도 잡아야지. 안개 그 너머에는 무엇이 있었을까? 파도 사이로 자맥질하는 건 지나간 이름들을 닮았을 것이다. 지금은 기억하지 못하는 것들의 면면이 보일 듯 떠올랐다가 이내 가라앉는다.

나는 이제 '좋아하다'의 반대말이 '잊다'인 걸 안다. 좋아하지도 않는 것들에게 내 기억 한 편을 내줄 정도로 친절한 사람이 아닌 걸 스스로도 안다. 그러나 초연해지는 법은 아직도 모르겠다. 무던한 사람이 되고 싶었지만 어떤 목소리와 어떤 문장들은 나를 흔들어 놓고 사라진다. 나를 너무 슬프게 하는 것들은 자욱함 너머로 보내버리는 게 좋겠다. 파도가 조금씩 바위를 깎아 먹듯이, 포말이 차츰차츰 모래를 쓸고 가듯이...

완결된 사랑

나의 최선이 네게 최선이 아닐 때 나는 밑도 끝도 없이 가라앉는 기분이 된다 무엇을 어떻게 해야 할지 손을 쓸 수가 없어진다

언젠가부터 몇 곡의 노래를 듣지 못하게 됐다 네가 알려준 것들은 다시 모르는 것이 되었다 일인용 침대에 누울 때도 항상 빈자리를 만들던 일이 벽에 붙어 잠드는 버릇으로 바뀌었다 부재는 항상 변질을 만든다 하루의 대부분이 망연할 때가 있었다 이제는 똑바로 누워 자야지 싶었으나 눈을 뜨면 항상 면벽하고 있었고 햇빛이 공연히 들어오면 이불을 뒤집어썼다 자주 늦잠을 잤다 밤이 빨랐고 새벽이 길었다

어떤 것은 오래오래 떠나지 않았어야만 했고 또 어떤 것은 금방 사라졌어야만 했다 그 사이를 뒤척이며 밤을 설치는 일이 많았다 결국 내 마음대로 되는 일은 없었다 머물렀으면 했던 건 꼭 붙잡지도 못하게 울며 떠나갔고 필요 없어진 것들은 발을 붙이고 나와 함께 살았다 혼자 남겨진 주인공은 이제 누군가의 조연이 되었다 서사 이후의 서사는 항상 새드엔딩의 짜임새를 하고 있었다

내 육하원칙의 대부분이 비어버렸으므로 이야기는 더 이상 이어지지 않았다 끝난 소설의 주인공은 어떻게 살아가는 걸까 생각하다 보면 조금 허무했다 이제 펼쳐볼 사람이 존재하지 않는 바야흐로 완결의 시간이었다

하고 싶었던 말

전하지 못했거나 전할 수 없는 말을 글로 씁니다. 말로 전하고 싶지 않은 문장도 두엇 있을 게 분명합니다.

오랜만에 무기력한 나날을 보내고 있습니다. 여름이 찾아오면 봄철 잠깐 화려하던 것들은 이내 초록으로 통일되고야 맙니다. 발목이나 무릎에 스치는 푸새들을 볼 때마다 계절을 똑똑히 목도하는 기분입니다. 몇 달 전 어느 저녁부터 지금에 이르기까지, 작년 여름부터 올여름에 이르기까지 나는 무엇 하나 변한 것이 없습니다.

조금 쌀쌀해졌을 때 당신을 만나야 했나 생각해 봅니다. 여름의 햇빛은 자주 오역되니까요. 나는 당신을 미워했던 걸까요? 누군가 답을 알려주려 입을 떼면 그것만큼 슬픈 일이 있을까요. 당신은 여전히 다정할 것이고, 여름보다는 가을에 가까울 것이고, 그러한 연유로 나는 자주 울 것 같은 기분이 됩니다.

이유 없이 들뜬 마음은 이유 없이 슬퍼질 수 있어요. 당신은 왜 나를 보고 웃을까 도무지 모를 때면 속수무책으로 나약해집니다.

때늦은 안부를 묻습니다. 잘 지내고 있나요. 지금도 잘 웃는 성격인가요.

당신 얼굴은 묘하게 권태로워 보고만 있어도 나른해집니다. 굳이 계절을 가져다 붙이자면 여름이 가장 잘 어울릴 것 같아요. 가을 같은 사람의 여름을 닮은 얼굴. 조금 더 정확히 짚고 넘어가자면 여름보다는 여름의 햇볕에 가깝겠습니다.

갑자기 폭우가 내리는 일이 잦아졌습니다. 장마철이라 그렇겠거니 하면서도 자주 우울에 젖습니다. 함께 있던 시절을 종종 생각합니다. 아무것도 하지 않아도 좋았던 때. 침묵이 모든 마음을 대변할 수 있다고 믿었던 때. 여름 한 철의 찬란함에 압도되어 말없이 걷기만 해도, 우리를 괴롭히던 생각들은 한 쪽 구석에 내버려 두어도, 뭐가 되었든지 간에 어쨌든 좋았습니다.

두서없는 글줄이 염치도 없이 길어졌습니다. 하고 싶은 말이 아니라 듣고 싶은 말이 있었던 걸지도 모르겠습니다. 혹시 그때 못 했던 말이 있으면 늦어도 좋으니 답신을 부탁드려요.

평온하고 다감한 당신에게.

EAU DE TOILETTE

좋아하는 향수가 생겼다.

손목에 뿌렸던 것을 까먹고 있다가 문득 코에 스칠 때마다 누군가가 그리워진다. 이제는 그리워할 사람이 없는데도. 이번 가을은 찾아온지도 모른 채 보냈다. 다음 가을에는 꼭 코트를 입어봐야지. 아직도 방에 누군가 오래 머물렀다 간 듯한 기분이 든다. 어떤 향기는 때로 나를 착각하게 한다.

내 글에 등장하는 사람은 자주 운다. 슬픈 기분이거나 이름 붙이기 어려운 감정이 고개를 들 때 그는 고개를 숙인다. 낡은 겉옷처럼 거칠한 목덜미. 그는 지면과 마주 보는 게 자연스럽다. 일상의 한 부분인 것처럼 자연스럽게 고개를 떨군다. 어떤 기분인지 스스로도 모를 때 그는 속상하다. 모든 감정에도 향기처럼 이름을 쉽게 붙일 수 있으면 얼마나 좋을까. 당신을 떠올릴 때 제 기분의 톱 노트는 까마득함이고요, 미들 노트는 그리움이고요, 베이스 노트는 미안함이에요. 저는 이 기분에 '오래전 인연'이라는 이름을 붙였어요. 가끔 보고 싶은 사람이 생각날 때 옷깃이나 주머니 안쪽에 몇 번 뿌려주세요..

어떤 향기가 본인의 것으로 기억된다는 건 유의미하다. 우리는 아주 자주 잊으나 향은 강렬하므로. 이상하게도 당신 냄새는 다른 것으로 표현하기가 어려웠다. 그냥 '당신 냄새'. 비슷한 향을 맡아본 적도 없었으니까, 당신 냄새는 오로지 당신의 것이다. 가끔은 그게 부러워 내 팔뚝에 코를 오래 가져다 댄 적도 있었다. 본인 체취는 본인이 못 맡는대. 당신의 무심한 애정과 함께. 당신의 향을 갖고 싶었다. 내 옷에서도 당신 냄새가 났으면 했다. 그렇지 못한 내 손목이 싫을 때가 있었고 슬플 때가 많았다. 원료가 무엇일까. 당신을 증류하면 남는 건 오래오래 맴도는 그 향기일까. 햇볕에 말린 면 티, 서점 책장과 책장 사이, 창밖에서 들어오는 찬 공기. 오래된 연인의 코트와 겨울 소나무. 불 꺼진 도시.

잠깐 잡았다 놨던 손에 당신 향기가 있다. 손바닥을 가만히 바라본다. 손금이 역사처럼 뻗어있다. 잊히지 않는 향기가 있다. 당신 냄새는 내 삶 곳곳에 묻어있다.

온통 당신 냄새다. 남은 게 그것밖에 없다.

쪽잠

오늘 밤에는 성숙하지 못한 것들에 대해 이야기를 좀 해볼까. 나는 한때 시처럼 살고 싶었다.

마음이 송두리째 붉어지는 것 같을 때마다 나는 엎드렸다. 되뇌일 말이 없어 입을 다물었다. 무구한 것들을 볼 때마다 너를 빗대어 보는 건 오랜 습관이었다. 지병 같은 습관. 밤이 통째로 붉어지는 것 같을 때마다 몸을 뒤척였다. 네가 올까. 새벽을 건너 네가 올까. 나는 누구를 기다리고 있는 걸까. 마음에 드는 문장이 생기면 오래오래 들여다봤다. 마음에 드는 글이 생기면 행간에 발을 담가놓고 싶었다.

내가 쓰는 것들은 죄 불안하고 위태로운 것들이다. 문장이 문장이 아니게 될 때까지 쓰다 보면 결국에는 떼쓰는 어린아이 같은 마음. 무언가를 확인하려 들다가도 이내 포기하는 것조차 사랑이라 믿던 때가 있었다.

천장을 보고 자도 깨어나면 옆을 보고 있을 때가 많았다. 늘 외로운 사람처럼 뒤척였다. 한 사람분의 온기는 미지근해서 자주 목이 아팠다.

그럴 때마다 말을 하는 대신 글을 쓰려고 했다. 시처럼 살고 싶어서 시를 썼다.

이 밤은 내게 너무 잔인하니 아주 조금만 더 다정해 줘 다시는 깨지 않을 거야 네 배려 없는 말솜씨 같은 건 아무래도 상관없어 다감한 게 죄는 아니니 새벽이 지나기 전에 마음껏 따뜻해줘 우리에겐 시간이 부족해 다시는 없을 밤이 명분도 없이 흐르고 그저 말 한마디로 세월을 멈출 수 있으면 좋을 텐데 말이야…

같은 문장들을 주저리주저리 늘어놓고 있으면 네가 옆에 있는 듯한 기분이 들었다. 잠결에 껴안은 것은 그리움.

이런 기분이 드는 밤이면 나는 항상 새우잠을 잤다.

3장

다시 태어나도 나이고 싶어질 때까지

오래된 습관

저는 기운이 나지 않을 때면 집에 돌아와 환기를 시키고 집 청소를 해요. 새것으로 교체된 공기를 마시면서. 설거지를 하고, 바닥을 닦고, 이불을 털고.. 묵혀놨던 불안이나 우울 따위도 함께 쓸어내려는 것처럼요. 그런데 오늘은 이상하게 어떤 짓을 해도 온몸에 힘이 없더라고요. 왜 그럴까 곰곰이 생각해 봤는데, 요즘 따라 보고 싶은 게 너무 많아져서, 피해버리고 싶은 게 너무 많아져서 그런 거 같아요. 당신 이름 마지막 글자를 조용히 불러 봐요. 대답은 돌아오지 않아요. 알고 있기 때문에 나를 슬프게 하는 게 있어요. 훽 사라져서 당신 앞에 나타나고 싶어요. 놀란 당신의 귀에다 대고 내가 왔다고, 나라고..

이름 끝 글자를 부르는 습관에 대해 이야기를 해볼까요. 왜인지는 모르겠지만 다정한 느낌이 들어요. 네 이름을 다 부르기에는 내 목소리가 너무 떨려서, 몇 번이고 마음을 진정시키고 나서야 겨우 부르는 한 음절. 꼭 그런 것 같은 느낌이 들어요. 돌아오지 않을 누군가를 애타게 찾는 것 같기도 해요. 무정함을 겪어본 사람만이 다정해질 수 있는 걸까요. 인간은 공감의 동물이잖아요. 차가움에 공감을 해야 따뜻함을 건네줄 수 있는 거죠.

그러니 좋아하는 것들에게는 언제든 상처받을 준비를 하고 있기. 한때는 다쳐보지 않은 사람의 기만이라고 생각했었지만, 이제 저는 이걸 사랑이라 부르기로 했어요. 어떤 형태로든 찾아올 슬픔, 가엾은 필연을 쓰다듬을 수 있을 때까지 저는 좀처럼 입을 열지 않을 거예요.

좋아하는 것들 때문에 많이 울 거예요. 점점 다정해져 보려고요.

떠남에 대한 두려움, 이름을 부르는 습관, 손을 붙잡힌 사람처럼 뒤를 돌아보는 마음, 이제는 아무렴 상관없을 것 같아요.

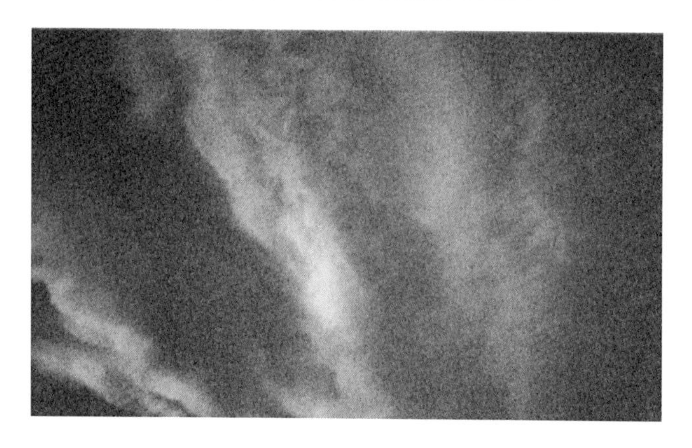

기적

너는 상냥한 말을 하는 재주가 있지. 네가 해준 말이 생각날 때면 글을 썼어. 노래를 들으면서. 오늘 어땠는지 묻는 가사가 너를 닮았다고 생각했어. 음악을 닮은 너와 네 목소리를 듣는 나. 인디밴드 노래의 가사 같은 너. 너를 필사하는 나. 조용히 적다 보면 의미로 남지 못했던 순간이 떠올라. 그런 순간조차 박제되었으면 했던 때가 있었지.

너는 말을 잘하고, 네가 말하는 나는 글을 잘 쓰고… 쓸모를 논하기 이전에 너는 내 글이 좋다고 했지. 글을 쓸 때 내 옆얼굴이 좋다고 했지. 그러니 오래오래 글을 써달라고 했어. 밤마다 남는 건 네 이름이라고.. 그런 말들이 오갈 때. 지금보다 어렸을 때. 항상 효용은 뒷전이 되었고 똑같은 얼굴의 똑같은 우리가 계속될 줄 알았지. 그게 틀려먹은 생각이라는 걸 깨달았을 때엔 완전히 달라진 우리가 있었어.

노을을 등진 네 모습이 기억나. 괜히 울고 싶었는데 네가 더 슬퍼 보여서 참았어. 그때 왜 그렇게 슬픈 눈을 했어? 나는 너랑 다르게 따뜻한 말을 잘 못해. 우리 더 자주 걸을 걸 그랬다. 조금만 더 춥게 입을걸. 목도리를 놔두고 온다든가. 장갑을 세탁기에 돌리고 있다는 핑계를 댄다든가.

내 글을 읽는지는 모르겠지만.. 너는 아직도, 가끔씩 뮤즈가 되어 활자 사이를 유영해. 기적적인 일이 아닐까. 순간이 영원으로 변모하는 일. 영원히 서로를 마주 보는 일.

악역 모티프

나는 네게 아무것도 해준 게 없는데도 무엇이라도 된 것처럼 바라고 돌이켜보면 내가 가진 건 보상심리밖에 없었는데 내가 네게 줬던 건 터무니없는 억지뿐이었나

네 마음을 가늠하며 내 우울을 가누며 알 수 있는 것은 네가 웃을 때 보조개가 있다는 사실

살결이 연한 사랑과 한 꺼풀 아래 희박한 우울과 어떤 사람을 좋아했던가 하는 의문 사이에서 길을 잃는다 너는 대체 누구길래 며칠 내내 나를 괴롭게 하는지 너는 내게 결핍인지 감당할 수 없음인지 이런 생각이 너를 사랑하게 하는 건지 사랑하기 때문에 이런 생각을 하는 건지 내 세상에서 너는 아주 자주 나쁜 사람이 되는 걸 아는지 그래서 나는 권선징악이라는 말을 싫어하는 걸 아는지

나의 영악한 사랑
네 입꼬리는 깊어 뺨에 우물이 패이지
세상의 모든 악역들은 너를 닮아야 한다, 그런 생각을 했다

봄빛 우울

요즘 날씨가 참 따뜻하지? 옷이 조금 얇아졌어. 캠퍼스 안을 걷다 보면 괜히 가보지 않은 길로 가고 싶어지더라. 밥을 먹고 수업을 들으러 가는데, 다들 잔디밭에 모여서 돗자리를 깔고 쉬더라고. 보기 좋았어. 나른하게 햇빛은 떨어지지, 바람은 기분 좋게 불지. 각자의 방식으로 웃으며 이야기를 나누는 사람들. 풍경과 반대로 나는 묘한 권태를 느끼며 집으로 걸어가. 이젠 껴입지 못해서 조금 아쉽다는 생각을 하면서. 네가 좋아하는 건 뭐야? 너는 살면서 어떤 것들을 좋아해왔어?

좋아하는 것들을 애써 찾는 건 슬픈 일이야. 내가 좋아하는 것들은 한 번도 먼저 다가온 적이 없어. 단 한 번도. 모두 다치고 울면서 찾아낸 것들이야. 나는 이상하게도 봄에 자주 다치고 자주 울어. 그러니 얼마 안 있어 나는 봄을 사랑하게 될 거야. 무엇이든 많이 해보는 사람들에게는 그만큼 무언가를 좋아하게 될 때가 많지. 나도 노력해 봤는데.. 정말 쉽지 않더라.

운동장 트랙을 따라 달리는 사람들에게 목적지가 있어 보여? 계단에 앉아서 그들을 바라보고 있노라면.. 쉬운 것 하나 없다고 느껴져. 잠깐의 고통을 감내할 용기가 있어야만 해. 우리는 살면서 쉴 틈 없이 무언가를 지불해. 심지어 좋아하는 일을 할 때도 말이야. 그 작은 상실, 필수적인 잠깐의 결핍이 사람들을 사람답게 만들어주는 거야. 이런 생각을 할 때면 나는 내가 미워지고 조금 슬퍼져.

오늘 하루만 더 살자는 마음으로 살아. 오늘은 샐러드가 먹고 싶었으니까.. 이것만 먹자. 오늘은 나도 모르는 골목길로 들어가 보고 싶으니까 이것만 해보자. 삶은 어쩌면 이러한 유예의 연속인 것만 같아. 마음을 주는 일도 미룬 탓에 때로 부채감을 느끼기도 해. 봄에 걸맞지 않은 사람인 게 속상해지는 밤이야.

그러니 다시 태어나도 나이고 싶어질 때까지 나는 살아. 살아야 해. 사랑해. 사랑해야 해.

녹아버린 아이스크림의 맛

이곳을 향하는 차에 오를 때마다 저는 창가에 앉습니다. 빠르게 지나가는 장면들. 차창 밖의 것들은 덧없다는 생각을 합니다. 당신 생각을 할 때면 조금 불편하더라도 줄 이어폰을 찾게 됩니다. 싱글 침대에 두 명이 눕는 것처럼 걸리적거려도 말이에요. 양쪽 귓바퀴에는 저를 닮은 가사가 걸어 다녀요. 시시콜콜한 이야기를 좀 할까요. 그곳은 어떤가요. 좋아하는 맛의 아이스크림을 먹으며 지내나요? 아직도 느지막이 일어나 먹는 프렌치토스트를 좋아하나요? 거치적거리는 것들에 대해 이야기를 좀 할까요. 저는 당신이 써줬던 편지를 아직 갖고 있어요. 먼지가 쌓이지 않게 상자에 담아 저만 아는 곳에 보관하고 있어요. 언젠간 이것들도 버려지게 될까요? 애착을 주지 않는 것도 충분히 가능한 일인데, 힘들 때면 자꾸 그것들을 꺼내게 됩니다. 읽지 않고 가만히 쓰다듬기만 해도 위로받는 기분이 듭니다. 당신, 우울할 때마다 제게 편지를 썼잖아요. 실안개에 노을이 흐려질 때마다 슬퍼진다는 문장을 나는 좋아했어요. 아마 당신의 정서를 이어받은 걸지도 몰라요.

얼마 전에는 조용한 카페에 가서 책을 읽었습니다. 얼음이 들어간 라테를 마시다 보니 컵 표면에 자꾸 물방울이 맺히더라고요. 미지근해지기 전까지는 계속 흘러내릴 거예요. 어쩜 사람이랑 다를 게 하나도 없는지. 저를 보는 것 같아서 몇 번이나 닦아주게 되더군요. 나약함과는 거리가 멀지만 불가피합니다. 우리가 나약하기 때문에 우는 일은 사실 거의 없어요. 울음은 피할 수 없으니까요. 슬퍼할 일이라서 자연히 슬퍼하게 되는 거니까요. 하지만 당신과 저는 별안간 고개를 숙일 때가 많았던 것도 같아요. 이런 이야기를 하면 누군가는 저를 이해한다고도 하지만.. 그런 말들은 믿지 않아요. 저도 저를 모르겠는걸요.

당신과 걷다 보면 소프트아이스크림이 형체를 잃어버리고 흘러내린 적이 많았어요. 휴지가 항상 가방에 있던 때를 생각합니다. 손을 닦아주며 당신의 손금을 봅니다. 수명선이 기네. 오래 살겠다. 감정선이 길면 감수성이 풍부하대. 나는 긴 편인가? 내 손도 봐줘.

주워들은 말들로 이런저런 대화를 하다 보면 항상 잠깐의 정적이 찾아옵니다.

그 정적이 너무 싫었어요. 눈동자가 꼭 마주치게 되니까요. 눈만 마주쳐도 슬픈 기분이 드는 사람이 있다고 그때부터 믿기 시작했어요.

요즘 자주 혼자 걷습니다. 잡을 것이 없어서 양 주머니에 손을 넣고, 인상은 약간 찌푸린 채로. 고개를 들면 자꾸 눈물이 나서 땅을 보는 일이 잦습니다. 쥔 것이 없는데 자꾸만 무언가 흘러내리는 기분이 듭니다. 이제는 혼자 있는 일에 익숙해졌습니다. 혼자가 더 편한 것 같기도 합니다. 당신도 그런가요? 아직도 아이스크림을 자주 녹여 먹지도 못하고 버리나요?

겨울에도 녹아버린 아이스크림의 맛을 느낄 수 있다는 걸 알게 되었어요. 만약 다음에 만나게 된다면 슬플 일이 아닌데도 슬퍼하는 마음에 대해 이야기해요.

I L you

누군가에게 사랑한다고 말했던 적이 있어. 반은 진심이었고 반의반은 장난이었지. 나머지는 뭐였냐고? 나도 모르겠어. 결코 가볍지 않은 무언가였을 거야. 지금도 가끔 짓눌리거든. 어쨌든 그 사람이 뭐라고 했게? 전에는 들은 적 없던 진지한 목소리로 그런 말은 함부로 하는 게 아니래. 좋아함과 사랑함은 다른 거래. 미국인들은 사랑을 쉽게 입에 올리지 않는대.

내가 거기서 할 말이 있었겠어? 그 사람 말이 백 번 맞는 거 같아서 그렇구나.. 했지. 내 얼굴을 보곤 그 사람이 미안하다고 했던 것 같기도 해. 그날 밤 사전에 like와 love를 띄워놓고 한참 쳐다봤어. 그때 나는 대체 어떤 단어를 써야 했던 거야? 'I L you'라고 하면 알아듣지도 못할 거면서.

자주와 늘의 차이점은 알면서, 그 둘은 뭐가 다른지 구분도 못했었다니. 하지만 나는 이제 알지. 그렇기 때문에 구분하지 않는 거야.

안녕, 나의 'L'하는 이방인.

이게 무슨 뜻이냐고?

글쎄.

한 곡 재생

헛헛한 기분이 들어요. 추위와는 관계없는 떨림이 가끔씩 찾아와요. 몸이 잘게 떨릴 때면 당신과 마셨던 따뜻한 것들이 생각나요. 모든 게 부질없다는 생각도 종종 해요. 때마다 찾아오는 행사처럼 이런 마음가짐으로 살 때가 있어요. 먹는 것도 게을리하고 시체처럼 누워 있는 시간이 길어요.

당신은 저를 보면 조금 핼쑥해졌다고 할까요. 사실 그렇게 야위지는 않았어요. 야윈 건 눈빛뿐. 오래오래 누워있다 보면 천장이 조금 가까워 보여요. 손을 뻗어볼까 싶다가도 관두게 돼요. 요즘의 제게는 모든 게 건조하니까요. 궁금한 것도 없어요. 그러니 물어보는 일도 없어요.

사실 조금 건강하게 살아보자 싶어서 요 며칠간 자주 밖을 돌아다녔어요. 가던 카페만 가게 되고 먹던 음식만 먹게 되더라고요. 혼자이던 사람이 끝내 혼자이듯이. 소득이라고는 제가 추위를 꽤 즐긴다는 사실을 알게 된 거. 그러면서도 따뜻한 무언갈 쥐고 싶어 한다는 거. 웃기죠.

무기력한 사람치고 노래방에도 자주 갔는데요. 제 목소리가 듣기에 별로라고 생각했어요. 이름만 불러도 듣기 좋은 목소리가 있잖아요. 제 목소리는 누군가를 부르기에는 다정하지 못한 것 같았어요. 그도 그럴 게, 혼자 조용히 불러보면 초라한 음성 끝에 남는 건 미안함이더라고요. 다정하지 못해 미안해요.

침대에 누워 눈을 감고 좋아하는 노래를 재생해요. 당신은 제 모든 것이라는 가사가 몇 번이고 반복돼요. 이 가사에 공감하나요. 제 생각을 할까요. 새벽 한가운데에서 표류하는 기분이 들어요. 발이 둥둥 떠다녀요. 제가 당신 생각한다는 걸 당신은 모를 거예요. 영영. 알리고 싶지도 않아요. 생각은 생각이기 때문에 갖는 힘이 있다고 믿어요. 모든 순간을 기억한다면 거짓말이겠지만.. 당신을 기억하는 순간들은 제 전부예요.

진심이 아닌 말이 없어요. 같은 노래를 들으며 같은 생각을 하고 싶었어요. 다정하지 못했던 모든 때에 입을 맞추고 싶었어요. 당신도 그랬었겠죠. 그랬을 거예요..

프리저브드 러브

언제 왔는지 모를 것들은 언제 간지도 모르게 사라진다 몇 주간 피어 있던 꽃들이 잠든 사이에 져버리는 일과 당신의 유사성을 생각하다 보면 머리가 조금 아파 온다 꽃이 펴서 당신이 왔었나 꽃이 져서 당신이 떠났었나 하는 부질없는 것들이 몇 번씩 자맥질한다 그 정도로 짧은 시간에 찰나라는 이름을 붙이는 걸까 그 정도로 농도 짙은 사랑에 봄이라는 이름을 붙이는 걸까

보도블록 밑에는 떨어진 것들의 무덤이 있다 걷다가 멈춰 서는 일이 잦다 추락해도 아름다운 것들이 다른 어딘가에도 꼭 하나쯤 있을 거라 믿고 싶었다 뭐라도 말해야 할 것만 같은 기분이 든다 그러나 입을 다물지 않고서는 계절 한 철을 지낼 수 없다

날씨가 변덕스럽게 더웠다가 따뜻했다가 오늘은 조금 추웠다 바람이 많이 불었고 창문이 덜컹였다 애처롭게 흔들리고 있는 것들을 떠올릴 때면 밖은 언제나 어두웠다 한 아름의 프리저브드 플라워와 한 묶음의 시와 한 다발의 손가락들을 건네주고 싶었다 조금 이기적인 생각이었다

침묵하다 보면 붉고 노랗던 것들이 조금씩 초록으로 둔갑하고 너는 봄인데도 여름 냄새가 느껴지는 것 같다고 말한다 누군가도 이렇게 말했었다 아주 몇 해 전의 일이다

새봄 증후군

넘어질 듯 걸으면서도 넘어지지는 않지만 발목은 쉽게 접질려. 복사뼈 주변이 자주 부어. 최근의 내 모습은 새벽을 자주 찾지만 이상하게도 무언가 생각하는 일은 줄어들고 있어. 울고 싶은 마음과 울어야겠다는 마음은 다르지. 나는 네가 다정한 말을 할 때마다 울어야겠다고 생각해. 눈물의 밀도는 벚꽃의 그것과 같아서, 언제 찾아오는지도 모르게 가득 맺히지. 조금만 흔들려도 쉽게 지고 쉽게 증발해버리는 것도 닮아 있어. 봄은 원래 그런 계절이잖아. 설렘 같은 것들이 촉촉하게 내리고 순식간에 날아가 버리는 때. 잠깐이 지나면 거리에 남은 건 발자국 새겨진 꽃잎들. 휘발성 짙은 그리움 밑에 남아있는 건 미련 가득한 발걸음.

햇빛이 좋을 때 슬퍼지는 마음을 알아? 이유는 모르겠지만 자주 그래. 풍경이 예뻐서도, 누군가 보고 싶어서도 아니야. 네가 해줬던 말이 기억나. 너는 무엇이든 오래오래 간직하는구나. 내가 슬퍼지는 건 언젠가 흘렸던 눈물의 기억 때문일까. 사람이든 사랑이든 쉽게 보내는 것 같다는 말을 들은 적이 있어. 너도 내가 그렇게 보일 때가 있어? 잠깐의 슬픔, 잠깐의 슬픔일 거라고 반복해도 잊히지 않는 것들이 있지. 그리고 내겐 그런 게 아주 많아.

긴긴 시간을 지나면서 어느 것들은 반복해서 또렷해져. 거듭 선명해지는 이름과 말투와 향기. 목소리와 눈매와 시선과 글씨체. 나를 고요하게 만드는 것들. 그 모든 사소한 것들은 네 핑계를 대고 남아 있어. 네 이름을 달고 너인 척, 봄이 온 척 창문을 두드리지. 이맘때면 나는 머리끝까지 이불을 뒤집어쓰고 잠들었다가 땀을 흘리며 일어나. 내 방 창문은 정남향이지만 해가 잘 안 들어서 다행이야. 정말로.

매년 찾아오는 봄과 봄을 닮은 사람. 나는 그런 것들을 떠올리는 증상에 새봄 증후군이라는 이름을 붙였어. 코끝이 시큰하고 머리가 지끈거리는 날들을 살아. 내 안부를 물어봤었지. 괜찮지 않을 수 없어서 괜찮아. 약간의 무기력은 어쩔 수 없잖아. 괜찮아..

J에게

안녕

가끔 너와 나눴던 대화를 생각해. 노을이 예쁠 때 죽고 싶다고 생각하는 사람이 나 말고 또 있을 줄 누가 알았겠어. 우리에겐 세상이 조금 가혹하지. 툰드라 같은 삶이야. 가끔 우울의 결이 비슷하다고 느낄 때마다 우리가 만난 게 재난일 수도 있겠다 싶어.

범람하는 것들에는 손을 잘 대지 못해. 너무 큰 슬픔에는 감히 위무의 손길조차 건네지 못하는 것처럼. 우리는 서로의 저변에 깔린 것들을 어렴풋이나마 알지. 넘치면 흐르고 흘러 다시 바닥에 고여. 우리의 발은 언제나 젖어 있어. 걸음을 옮길 때마다 파문이 이는 기분이야. 우리 나중에 바다나 보러 가자. 밤바다. 나는 맨발로 걸을 거야. 새까맣고 깊은 걸 보며 가라앉음에 대해 이야기하자.

얼마 전에 너를 따라 담배를 배워볼까 했는데.. 슬퍼할 네가 생각나서 그만뒀어. 나는 담배 냄새에 익숙하니까 네가 갑자기 낯설어지는 일은 없을 거야.

바다 보러 가면 옆에서 불을 붙여도 좋아. 흐려지는 담배 연기와 파도가 닮았다는 문장을 적어놓을 거야.

우리 같은 사람이 지구 어딘가에 또 있을까. 아니면 지구 밖에 있을까. 닮은 사람을 만나게 되면 소개해 줄게. 반응이 어떨지 궁금하다. 만약 우리 같은 사람이 더 없다면, 모종의 이유로 언젠가 우리는 멸종하게 되겠지. 그런데 아마 우리 두 명이 끝이지 않을까. 나는 그렇게 생각해.

그러니 멸종하기 전에 마음껏 슬퍼해야 해.
새벽을 잘 보내자.
가끔 서러운 너와 내가 되기를.

추운 계절에,
자주 슬퍼지는 내가,
죽고 싶다는 말의 의미를 아는 네게.

청춘 반란

청춘이라는 말. 푸를 청, 봄 춘. 시절에 대하여 생각하는 일은 언제나 두렵다. 무기력함으로 대표되는 나의 현재는 자주 번진다. 푸른 봄이라는데 나는 채도 낮은 회색에 가깝다. 기왕이면 수묵화처럼 살고 싶었으나 묽은 먹을 쏟은 듯 그림이라고는 할 수 없을 지경이다. 다만 정갈하게 누워 그제 읽은 시를 생각하는 일이 잦았다.

유튜브 뮤직의 재생목록에서는 자우림의 청춘예찬이 가끔 재생된다. 젊은 나는 젊은 날을 고뇌하네.. 이곳에는 가수의 말마따나 일월의 태양처럼 무기력한 내가 있다. 겨울의 태양은 따뜻하지 않은 것처럼.

청춘이라는 말에 홀려 언제 꽃이 필까 기다리던 때가 있었다. 꽃이 지고 난 후는 생각조차 못했지. 청춘이 지고 나면 그 자리엔 무엇이 남을까? 그래서 내겐 좋아하는 꽃이 없다.

눈을 감으면 자꾸 쓸모없는 것들이 떠오른다. 가보지도 않은 산토리니의 낮, 기억조차 나지 않는 어린 시절의 꿈 같은 장면들. 생각하면 괜히 현기증이 나는 것들. 지나간 것에는 세피아빛 필터가 씌워지곤 했고 그럴 때마다 속이 울렁거렸다. 어릴 때부터 있던 고질병이었으나 누군가는 너무 감상에 젖는 탓이라고 했다.

가끔 비슷한 정서를 나누어 가진 사람을 만나보고 싶다. 만나서 어떤 이야기를 할까. 혹시 좋아하는 사람 눈을 보고 있으면 그쪽도 슬퍼져요? 겨울 밤바람 맞는 걸 좋아해요? 아프니까 청춘이라는 말은 어떻게 생각해요?

그러면 그 사람은 대답하겠지. 좋아하는 사람 속눈썹이 새삼 예뻐서 슬프고요, 찬바람에 코가 시큰해지는 기분이 좋고요, 아프니까 청춘이면 우리에게 봄은 영원하고 또 잔인할 것 같아요...

무모한 발언을 일삼는 일이 잦다. 청춘은 생각하기 나름이라고, 뭐 그런 말들을 자주 들어왔던 것 같다. 하지만 나는 청춘이라는 말을 싫어한다. 단어 하나면 뭐든 다 할 수 있을 것만 같은 기분이 들어서 싫고, 언어의 색감이 싫고, 청춘 이후의 시기를 보장하고야 마는 단어라 싫다.

청춘이 지나면 무엇이 남느냐고? 바보 같은 질문이었다. 청춘이 끝나면 어른이 된 내가 있겠지. 철없는 생각이지만 그래서 나는 청춘이라는 단어가 싫다. 이때 아니면 언제 이런 생각을 하겠어.

별을 그리워하는 마음으로

왜 우리는 흘러가는 시간 앞에 아무런 힘도 못 쓰는 걸까. 이토록 무기력할 수 있을까. 자주 옛 생각을 한다. 지금은 소원해진 관계와 내게 자주 불렸던 이름들과 나를 자주 불렀던 이들. 흘러가는 것들은 닮아있다.

사람의 그리움은 견고하다. 어떤 것을 그리워하게 되면 그것과 관련된 모든 것들이 얽히고설켜 단단하게 뿌리내린다. 무언가를 그리워하는 사람은 쉽게 흔들리지 않으나 그러므로 한곳에 머물러 있기 쉽다. 나는 돌아갈 수 없다는 걸 알고 떠나지 못하는 사람들의 마음을 안다.

계속 다른 곳을 보고 있던 누군가가 생각났다. 다른 곳을 보면서도 내가 아픈 건 잘 알아챘다. 아파서 눈앞이 흐려질 때면 당신은 창문 밖 가로등을 등지고 괜찮아. 괜찮아... 조용히 토닥토닥. 옳는 거 아냐? 물어보면 당신은 조용히 토닥토닥, 토닥토닥. 그때를 생각하다 보면 자꾸 시선이 바닥을 향했고 허기가 몰려왔다. 당신은 여전히 다정한 사람이겠지. 흘러가는 것들은 닮아있다. 당신 빼고.

그래서 1 인 가구용 밥솥을 샀다. 무력함 앞에서 무력해지지 않기 위해 배라도 채워야지. 따뜻한 밥을 지어 먹으면 그래도 좋지 않을까 싶었다. 김이 모락모락 나는 걸 보고만 있어도 허기가 좀 가시지 않을까. 갓 지은 쌀밥 같은 삶, 따뜻한 무언가로 속을 든든히 채운 삶. 당장 오늘 저녁 식사를 기대하는 삶. 그런 게 우리에게 필요하다. 적어도 내게는.

별을 그리워하는 마음으로 살자. 낮에 별이 보이지 않는다고 낙담하는 이는 없다. 저녁이 오면 새로 산 밥솥으로 밥을 지어 먹고 밤이 되면 별을 봐야지. 수십 광년 떨어져 있으니 사실 별들의 과거를 대신 회상해 주는 셈이다. 아침이 되면 보이지 않겠지만.. 그것들은 묵묵히 그 자리에 있다. 나는 그냥 침대에서 나와 할 일을 하면 된다. 그리움은 그리움대로, 삶은 삶대로. 별이 보고 싶다고 밤에만 머물러 있을 수는 없으니.

작가의 말

글을 쓰면서 많이 울었습니다

당신은 울지 않았으면 좋겠습니다

2022 초겨울
마음을 담아

다정하지 못했던 모든 때에

발 행 | 2022년 11월 10일
저 자 | 전윤철
펴낸이 | 한건희
펴낸곳 | 주식회사 부크크
출판사등록 | 2014.07.15(제2014-16호)
주 소 | 서울특별시 금천구 가산디지털1로 119 SK트윈타워 A동 305호
전 화 | 1670-8316
이메일 | info@bookk.co.kr

ISBN | 979-11-410-0046-2

www.bookk.co.kr